D1246999

Données de catalogage avant publication (Canada)

Roy, Dorothée

   Un prof extra

   (Collection 3 à 8 ans)

   ISBN 2-920660-32-2

   I. Jolin, Dominique. II. Titre. III. Collection.

PS8585. O92P76 1994   jC843'.54   C94-940986-3
PS9595. O92P76 1994
PZ23. R69Pr 1994

Cet ouvrage a été publié avec le soutien
du Conseil des Arts du Canada

Dépôt légal - 4e trimestre 1994
Bibliothèque nationale du Québec
Bibliothèque nationale du Canada
© Les éditions du Raton Laveur, 1994
C.P. 300
Succ. Laflèche
Saint-Hubert (Qc)
J4T 3J2

Imprimé au Canada

UN PROF EXTRA

Texte :
Dorothée Roy

Illustrations :
Dominique Jolin

Les éditions du Raton Laveur

Quand nous avons aperçu notre professeur pour la première fois, nous avons tous compris que c'était quelqu'un de bien spécial.

Mais personne n'a posé de questions.

Quand notre professeur a commencé à nous parler très vite et avec un drôle d'accent, nous étions intimidés.

Et personne n'a posé de questions.

Quand notre professeur est venu dîner avec nous et que nous avons vu ce qu'il mangeait, personne n'a posé de questions.

Mais nous lui avons tous offert notre collation.

Au gymnase, quand notre professeur a exécuté un double saut périlleux, personne n'a posé de questions.

Nous avons tous cru qu'il était très doué en gymnastique.

À la piscine, quand notre professeur a changé de couleur, personne n'a posé de questions.

Nous avons tous pensé qu'il faisait une allergie.

Lors de notre sortie, quand nous avons vu notre professeur dormir la tête en bas, personne n'a posé de questions.

Nous avons tous cru qu'il faisait du yoga.

Durant le cours de sciences, quand notre professeur a fait apparaître des bonbons, personne n'a posé de questions.

Nous avons tous pensé qu'il avait fait un tour de magie.

Quand notre professeur nous a invités chez lui pour nous montrer ses animaux, personne n'a posé de questions.

Nous avons tous cru qu'il collectionnait des espèces très rares.

Quand notre professeur nous a montré ses photos de vacances, personne n'a posé de questions.

Nous avons tous imaginé qu'il avait voyagé dans des pays lointains.

Mais ce matin, quand notre professeur est arrivé à l'école avec son véhicule, tout le monde s'est posé des questions...

Et c'est comme ça qu'on est partis dans sa soucoupe volante...